D0655139

Gemeent... ...theek
Beveren
Uitleenpost
Verrebroek

De stad van Ana

De stad van Ana

5. Soft

Luk
Saffloer

met tekeningen
van Sven

lannoo

HET ONWEER

Ra en Bo vliegen hoog tussen de wolken.
        'Wat fijn,' zegt Bo, 'dat ik op reis kan
        in een vliegtuig dat ik met jou heb gemaakt.'
Ra glundert.
Hij maakt een buiteling door de lucht.
Ra is een jonge kraai met gekke
witte strepen op zijn veren.
Dat vindt Bo heel bijzonder.
Sterker nog: Ra en Bo zijn dikke vrienden.
En een vriend laat je nooit alleen.
Daarom zijn ze samen op zoek
naar de ouders van Bo.
Die wonen in de stad.
Maar waar ligt die stad?
Ver weg, dat weet Ra wel zeker.

Ra en Bo zijn vandaag uit hun dorp vertrokken.
Ze namen afscheid van hun vrienden.
Als Ra daar nu aan denkt,
voelt hij nare kriebels in zijn buik.
Hij wordt er stil van.
Hoe zou het met meester Reiger zijn?
Denkt hij in zijn kleine huisje nog aan hen?
En zal Ra nog ooit op de hoge schoorsteen van
de zeepfabriek in zijn eigen nest kunnen wonen?

Bo sluit heel even zijn ogen.
Dan ziet hij hun groene dorp weer met de beek,
en het huis waar Bo met zijn opa woonde.
In de schuur timmerde Bo het vliegtuig in elkaar.
Jammer dat opa het toestel niet meer heeft gezien...
Als hij er nu nog was, denkt Bo,
hoefde ik mijn ouders niet te zoeken.

Bo is opeens erg verdrietig.
Hij veegt een traan van zijn wang.
Dat ziet Ra nog net.
Waarom is Bo droevig? denkt Ra.
We vliegen toch naar zijn ouders in de stad?
Is hij dan niet blij?
Ra krijgt een krop in zijn keel.
Of ik nog ouders heb, weet niemand...
Ik mag verdrietig zijn! Niet Bo!

'Hé, Ra, heb je al gemerkt dat er geen bomen
meer zijn daar beneden, onder ons?'
zegt Bo opeens.
Ra schrikt, alsof hij iets verkeerd deed.
'Eh... nee...,
alleen zie ik veel stenen en rotsen,
en... eh...
geen gras en... eh... ook geen bomen...'
Bo trekt aan een hendel. Het vliegtuig daalt.
'Ik vind dit land maar niks: zo grijs en somber,'
zegt Bo, terwijl hij naar beneden kijkt.
'En ik heb al in uren geen dieren meer gezien,'
antwoordt Ra.
'Is dit wel de goede weg, Bo?'

'Opgepaaaaast! Uit de weg!'
Ra zwiept met zijn vleugels en duikt nog net opzij.
Hij botste bijna tegen een oude raaf aan!
'Jij vliegt veel te hoog! Dit is de vluchtstrook
voor grote vogels!' krast de raaf.
'O ja?' antwoordt Ra. 'En is de vogel van
mijn vriend Bo soms niet groot genoeg?'
De raaf heeft geen tijd voor grapjes.
'Kijk toch maar uit, Ra!'
roept Bo.
'Je bent er niet bij
met je kop!
Slaap je soms
terwijl je vliegt?'

11

Bo ziet hoe de rode bol van de zon
bijna achter de heuvels verdwijnt.
     'Opa zei dat de stad in het westen ligt,
     waar de zon ondergaat.'
Ra kijkt nu ook voor zich uit, recht in de zon.
Hij knippert met zijn ogen.
     'Als je in de zon kijkt daar boven de heuvels,
     dan zie je duizend sterren! Kijk maar, Bo!'
Maar dat vindt Bo veel te gevaarlijk.
     'Je mag nooit recht in de zon kijken, Ra!
     Dan zie je niks meer.
     Wil je soms dat we naar beneden tuimelen?'

De heuvels die ze in de verte zagen,
zijn geen heuvels, het zijn sombere wolken.
Er is een onweer op komst.
De wolken worden grote, zwarte vlekken.
Plotseling is de zon weg. De hemel is pikzwart.
     'Hé!' roept Ra. 'Iemand doet het licht uit!
     Het is hier stikdonker!'
De wind waait hevig en Bo moet veel harder trappen.
     'Ik hou niet van onweer met donder en
     bliksem, we moeten ergens landen,' zegt hij.
Maar waar ze ook kijken,
overal op de grond liggen dikke rotsen.
     'Och,' zegt Ra,
     terwijl hij een grote bek trekt,
     'zo erg is dat onweertje
     nu ook weer niet.

In mijn nest op de schoorsteen
heb ik wel ergere dingen gezien!
Ik ben niet bang voor een beetje lawaai!'

Nog maar net heeft Ra dat gezegd,
of er valt een bliksemstraal uit de hemel.
      'Zo zien we beter waar we vliegen,'
            grapt Ra nog even.
Dan volgt er een knal alsof de hemel ontploft!
      'Dit... dit... is geen onweertje meer,'
            stottert Ra.

De wolken scheuren open.
Een waterval van regen plenst uit de hemel.
      'Als je het mij vraagt,' schreeuwt Ra,
      'is dit een heel groot onweer! Lieve koekoek!'
Ra duikt vlug onder het vliegtuig.
      'De vleugels van het toestel zijn kletsnat,
      ze worden veel te zwaar!' roept Bo.
      'We moeten naar beneden!'
De wind giert en beukt op het vliegtuig.

Het toestel kraakt aan alle kanten.
Bo trapt zo hard hij kan
om de machine in de lucht te houden.
        'Help, Ra! Ik kom niet vooruit met die wind!
        Wat moet ik doen?'
        'Niet meer trappen, Bo!' roept Ra.
        'Laat de wind je dragen,
        dan glij je vanzelf naar beneden!'
Maar het is zo donker dat ze de aarde niet meer zien.
        'Ra, ik weet niet waar beneden of boven is!'
                roept Bo hulpeloos.
        'Je valt altijd naar beneden!' antwoordt Ra.

En dat gebeurt ook.
Bo trapt niet meer en het vliegtuig begint te zweven.
Het draait in grote cirkels naar beneden.
Maar waar moet Bo landen? Het is pikdonker!
Gelukkig helpt het licht van de bliksem.
Bo wil de machine op de grond zetten.
Maar voor de neus van het vliegtuig
ligt een rotsblok, zo groot als een huis!
        'Kijk uit, Bo!' schreeuwt Ra.
Met beide armen trekt Bo aan een hendel.
Het toestel kan nog net over de rots wippen.
Oef! Dat was op het nippertje!
        'Bravo!' roept Ra.
        'Kijk, Bo, daar kun je landen,
        daar zijn er geen stenen meer!'
De wielen raken de grond.
Het toestel hobbelt nog even verder en valt dan stil.

'Lieve hemel! Het is gelukt!' zucht Bo.
Maar de hemel is nog steeds niet lief.
Een nieuwe donderslag knalt door de lucht.
        'Domme donder! Dit is niet leuk meer!'
              roept Ra boos naar de wolken.
        'We zullen hier moeten schuilen,' zegt Bo.
        'Ja, verder kunnen we niet meer,' vindt Ra,
        'het is zo donker dat ik mijn bek niet meer zie!'
        'Kom Ra, hier is het droog,
          hier, onder de vleugels van het vliegtuig.'
Ze kruipen dicht bij elkaar.

Bo is doodmoe.
        'Slaap lekker,' geeuwt hij.
        'Wat? Slapen? Durf jij nu je ogen dicht te doen?
        Als het zo blijft regenen,
        worden we in een vijver wakker!' moppert Ra.
        'En je weet dat ik niet kan zwemmen!'
        'Ik zal je wel redden, bangerik!' sust Bo
Ra knort nog wat,
maar hij voelt zich veilig bij zijn vriend.
        'Welterusten, Bo.'
        'Jij ook...
        en droom
        maar lekker.'
Terwijl de regen
op het vliegtuig
valt, slapen ze in.

ANA

De volgende ochtend is Ra het eerst wakker.
Hij kruipt onder het vliegtuig uit,
strekt zijn vleugels en kijkt om zich heen.
Het onweer is voorbij,
maar de zon is nergens te bespeuren.
Er hangen gele en grijze wolken in de lucht.
     'Brr,' zegt Ra, 'wat is dit voor een vreemd land?'
Als Ra wat verderop een kijkje neemt,
ziet hij dat ze op een groot plein zijn geland.
     'Lieve koekoek! Een plein zo groot als ons dorp?
     Wat doe je daarmee?'

Ra wil nog wat langer rondneuzen,
maar dan hoort hij opeens Bo roepen:
     'Help! De bliksem! De schroef is stuk! Ik val!'
Bo slaapt nog.
     'Wakker worden!' roept Ra.
     'Het is maar een nachtmerrie!'
Ra schudt zijn vriendje flink door elkaar.
Bo kijkt verdwaasd om zich heen.
     'Het onweer is voorbij!' sust Ra.
     'Maar ik weet niet of het hier
     op deze plek zoveel beter is.'

Bo wrijft zijn ogen uit
en staart naar het reusachtige plein.
Dan kijkt hij naar Ra en begint hardop te lachen.
        'Waar heb jij vannacht in gelegen?
        Je bent een bleekscheet geworden!' zegt Bo.
        'En jij zou beter kunnen zwijgen,'
                antwoordt Ra.
        'Jij bent vannacht helemaal grijs geworden!'
Ze bekijken elkaar van kop tot teen.
Ra en Bo zitten helemaal onder het stof.
Armen, benen, poten, vleugels, het haar van Bo
en de veren van Ra: alles is grijs!
        'Kijk, Bo, zelfs het vliegtuig is vuil geworden!'
        'Hadden jullie soms iets anders verwacht?'
Ra en Bo schrikken.
Was dat de stem van een meisje?

Op de rand van het plein zien ze het meisje staan.
Ze heeft een lange vlecht
en draagt een gekke hoed op haar hoofd.
        'Ik ben Ana,' zegt het meisje,

'en jij bent een nieuwe jongen, dat zie ik zo.'
'Ja, mijn naam is Bo,' zegt Bo.
Ana komt nu stapje voor stapje dichterbij
terwijl ze Ra voortdurend blijft aankijken.
'Is hij...,' vraagt ze aan Bo, 'is hij... een vogel?'
Verbaasd kijkt Ra op. Hij zet een hoge rug op.
'Ik heet Ra, en natuurlijk ben ik een vogel!
Hadden jullie soms iets anders verwacht?'
zegt Ra, met dezelfde
woorden als Ana.
'Eh...neem me niet kwalijk,
eh... mijnheer Ra,
maar ik heb nog nooit
een echte vogel gezien!'
Ra begrijpt niet wat Ana bedoelt.
'Denk jij soms dat er ook valse vogels zijn?'
Nu moet Ana even diep nadenken.
'Hier in de Stad leven geen dieren meer.
Waar komen jullie dan vandaan?' vraagt ze.

Bo legt Ana uit dat hij met Ra het vliegtuig bouwde,
en dat ze nu op zoek zijn naar zijn ouders.
En Ra vertelt over meester Reiger en over hun dorp.
'Bestaat zo'n dorp echt?
Met gras en bomen?' wil Ana weten.
Ra haalt zijn schouders op: wat vraagt die meid nou?
'Natuurlijk!' zegt Bo.
Ana kan het niet geloven.
'Zijn er echte dieren in het dorp?

En een beek met water?
En dragen jullie daar geen hoed?'
vraagt ze.
Ra vindt dat Ana domme vragen stelt.
'Bedoel je dat rare deksel op je hoofd?'
plaagt hij.
Ana doet alsof ze het grapje van Ra niet hoorde.
'Alle kinderen van de Stad dragen een hoed,'
zegt Ana.
'Omdat jullie dat mooi vinden?' vraagt Bo.
'Mooi of lelijk, het moet!' zegt Ana.
'De hoed beschermt ons zoals een paraplu,
tegen het stof dat uit de hemel valt.
Want van het stof worden we ziek!'

Ra en Bo kijken naar elkaar en dan naar Ana.
'Heb je het over dat poeder op mijn veren?'
wil Ra weten.
'Kun je ziek worden door dit stof?' vraagt Bo.
'Weten jullie dat dan niet?' zegt Ana.
'Het stof komt van de auto's en de fabrieken,
het prikkelt je tong en het maakt je keel rood.
Daarom mogen we nooit lang buiten blijven.'
Ineens slaat Ana haar beide handen voor haar mond.
'Oei, dat ben ik helemaal vergeten!' zegt ze.
Ze kijkt op haar horloge.
'Ben ik al zo lang op het plein?
Ik moest al terug zijn
in de slaapschool!'

'Hé,' lacht Ra, 'wat gek! De slaapschool?
Is dat een school waar je leert slapen?'
Maar dat heeft Ana niet meer gehoord, ze is al weg.
'Wacht even, Ana,' roept Bo haar na.
'Waar zijn we hier eigenlijk?
Is dit reusachtig plein de Stad?'
Maar Ana wil geen tijd meer verliezen.
'Vlug! Volg me naar de slaapschool,
daar zal ik jullie alles uitleggen.'

Ze lopen achter Ana langs het plein.
'De Stad ligt nog even verder,' zegt Ana.
'Dit is een parkeerplaats
aan de rand van de Stad.'
Ra is nieuwsgierig, hij wil het wat beter bekijken.
Met een paar vleugelslagen hangt hij in de lucht.

Over het plein hangt een dikke stofwolk.
Ra ziet ontelbaar veel auto's aanschuiven.
Het parkeerterrein is bijna vol:
honderden wagens, allemaal netjes naast elkaar.
'Maar ik zie haast geen mensen!'
roept Ra naar beneden.
'Ze gaan meteen de tunnels in,' legt Ana uit,
'daar nemen ze de metro, onder de grond.'
Ra snapt het niet:
'De metro? Onder de grond?'
'Met de metro naar de Stad rijden gaat snel,
en je hebt minder last van de stofwolk!'
Bo moet ervan kuchen,
hij vindt die stofwolken maar niks.
'Zien jullie de zon nog wel eens?' vraagt hij.
'Ja, woon jij eigenlijk graag in deze Stad?'
roept Ra vanuit de lucht.
Ana blijft even stilstaan.
'Waarom niet?' zegt ze.
'Trouwens, mijn vriendjes wonen hier ook.'

DE SLAAPSCHOOL

Op de parkeerplaats trekt Ana een luik open.
Ze dalen een trap af en lopen door een tunnel.
    'Zie je, hier is er minder stof,' legt Ana uit.
    'En ook minder plezier,' moppert Ra.
    'Kijk jij maar uit waar Ana loopt,
    straks zijn we de weg kwijt!' zegt Bo.
Het is donker in de gangen.
Ra trippelt nu snel achter Ana aan.
Links en rechts kruisen ze andere tunnels.
Het is een doolhof van steegjes en pleintjes.
Hier en daar zien ze een paar mensen.
Maar niemand kijkt op en niemand zegt wat.
Ana loopt flink door,
Ra heeft moeite om haar te volgen.

Gelukkig hoeven ze niet lang te lopen
en dan nemen ze weer een trap naar boven.
Nu staan ze bij een enorm groot gebouw.
Ana klopt het stof van haar hoed
en gaat voorzichtig naar binnen.

'Geen lawaai maken,' zegt ze,
'want hier mogen geen
vreemde mensen komen.'
'En waarom niet?' vraagt Bo.
'Dat hoort zo!' zegt Ana kortweg.
'En een vogel zoals Ra mag er zeker niet in!'
Dat vindt Ra ongehoord.
'Wat is er mis met een vogel zoals ik?
Misschien hebben jullie zelf geen dieren meer,
maar ik ben nog lang niet dood! Ik ga mee!'
'Ssst! Niet zo hard!' fluistert Ana.
'Natuurlijk heb ik niets tegen jou, Ra.
Wacht hier even op mij!'
Ana gluurt achter de deur of alles veilig is.
'Hier wil ik nooit wonen!'
zegt Ra vastberaden tegen Bo.
'Misschien wil ik zelfs niet meer naar binnen!'
'Hou je nu maar even stil, meneer de vogel,'
zegt Bo, die toch wel nieuwsgierig is.

Ana geeft een seintje: Bo en Ra glippen naar binnen.
Ze komen eerst in een gang, zo lang als een straat.
Tegen de muur zien ze een enorm grote kast,
waarin Ana in een leeg hokje haar hoed opbergt.
Boven de kast hangt een bord.
Daarop staat in grote letters: DE HOED MOET!
In de kast liggen verschrikkelijk veel hoeden,
de een naast de ander, en ze zijn allemaal hetzelfde.

    'Wauw,' zegt Ra, 'zoveel miljoen hoeden?'
    'Bijna zoveel, ja...,' lacht Ana,
    'want hier in de slaapschool wonen
    alle kinderen van de Stad samen.'
    'Alleen de kinderen?' vraagt Bo.
Ana knikt alsof dat heel gewoon is.
    'En waar zijn die kinderen dan?' wil Ra weten.
    'Ik zie ze nergens.'
    'Iedereen is nu in zijn kamer,
    want de school is begonnen,' antwoordt Ana.
    'O ja, de slaapschool!' lacht Ra.

Waar Ra en Bo ook rondkijken, hier beneden
is er niemand meer in het enorme gebouw.
    'Brrr..., zo akelig groot en leeg!' vindt Ra.
Dan loopt Ana naar een kastje in de muur,
ze tikt een nummer in.
    'Ziezo, nu weten ze dat ik thuis ben,'
        zegt ze.
Ra steekt zijn vleugels omhoog en denkt:
hoe kan een kastje met cijfers nu weten
dat je thuis bent?

'Ga jij altijd alleen naar buiten?' vraagt Bo.
'Meestal wel,' zegt Ana.
'De anderen blijven graag op hun kamertje,
daar komen hun vrienden ook op bezoek...'
Ra vindt de kinderen van de Stad maar eigenaardig.
Wie wil er nu altijd op zijn kamer blijven?
'Spelen jullie dan nooit eens samen? Buiten?'
vraagt Ra.
'In de videotuin wél, maar buiten nooit.
Het stof is ongezond,' zegt Ana.
'En voor zulke spelletjes zijn we ook al te oud.'
'Om te spelen ben je nooit te oud,'
antwoordt Ra.

Ra heeft opeens een gek idee.
'Kijk, Ana,' zegt hij, 'ik ben een gewone kraai,
en nu, hopla, ben ik een speelvogel!'
Ra pakt vlug één van de hoeden uit de kast,
zet hem op zijn hoofd, en wipt omhoog.

Bo weet niet wat hij ziet.
Er zweeft een hoed door de gang.
        'Wat doe je nu, Ra? Kom terug!' roept Bo.
Ra wil Bo niet horen,
hij is net een vliegende schotel.
Ana gniffelt van plezier.
Onder de hoed ziet Ra niet goed waar hij vliegt.
Hij fladdert in het rond en botst overal tegenaan.
        'Straks sluit de bewaker je op!'
                lacht Ana.
        'Daar geloof ik niks van!' antwoordt Ra.
        'Ik laat me nooit opsluiten!' zegt hij stoer.
Maar dan legt Ra de hoed weer keurig op zijn plaats.

        'Ik moet nu wel naar mijn kamer,' zegt Ana.
Ze loopt naar een grote, ijzeren kooi.
Opeens begint er in de kooi een motor te ronken.
        'Dat zijn de stofzuigers,' zegt ze.
        'Gewoon doorlopen, dan zijn we zo schoon!'
Ana stapt in de kooi en Bo volgt haar.
Als ze samen uit de kooi komen,
is het grijze stof op hun kleren weg.
Dan is Ra aan de beurt. Hij vindt het maar niks.
Voetje voor voetje schuifelt hij naar binnen.
Ineens, in één klap, wordt Ra naar de muur gezogen!
Ra is veel te licht!
Hij kleeft als een platvis
tegen de zuigers!
        'Heeeelp!
        Ik kan niet meer weg!'

Ana en Bo trekken hem vlug los.
       'Lieve koekoek,'
               sist Ra opgelucht,
       'ik was bijna al mijn veren kwijt!
       Dat zuigmonster is erger dan onweer!'
De veren van Ra zijn helemaal in de war
en Ra kijkt nog wat sip.
Maar Ana en Bo kunnen er hartelijk om lachen.

       'Waar wonen de mensen eigenlijk?' vraagt Bo.
       'In andere woonblokken,' zegt Ana.
Dat vindt Bo maar raar:
kinderen hier en ouders daar.
       'Opa zei dat mijn ouders in de Stad werken,
       maar hoe weet ik nu waar ze wonen?'
       'Dat is heel eenvoudig,' zegt Ana.
       'Ik kan je ouders in mijn computer vinden.'
       'Echt waar?' juicht Bo.
       'In de computer staat iedereen:
       alle mensen die in de Stad wonen,' zegt ze.
Ra zat nog een beetje te suffen,
maar nu is hij klaarwakker.
       'Wonen de ouders van Bo in een kompoeter?'
       'In een kompoeter!' herhaalt Ana.
Ze moet er hard om lachen.
       'Ik zal je straks op mijn kamer
       mijn computer laten zien,' lacht Ana.
       'Als het maar niet weer een stofzuigmonster is!'
               moppert Ra.
       'Kom, nu moet ik echt naar mijn kamer!'

DE COMPUTER

Ana loopt naar een deur in een hoge, stalen buis.
   'We nemen de lift,' zegt ze.
   'Ik woon helemaal boven!'
Ze drukt op een knop en de deur schuift open.
Dan stappen ze met zijn drieën in de liftkoker.
Weer drukt Ana op een knop,
en nu schieten ze razendsnel omhoog!
Bo voelt zich niet helemaal lekker in zijn buik,
maar Ra geniet van het geweldige gevoel!
   'Wat een vaart!' roept hij uit.
   Zo vlug heb ik nog nooit gevlogen!'
In een flits zijn ze op de hoogste verdieping.
Ze lopen nu in een lange gang
met overal deuren, links en rechts.
Achter in de gang ligt de kamer van Ana.
Er staan een bed, een kast, een tafel en twee stoelen.
Het is er gezellig.
Ana verzamelt allerlei kleine spulletjes,
en ze heeft ook overal pluchen dieren staan.

   'Hier woon je dus,' zegt Bo voorzichtig.
Ra en Bo kijken wat onwennig rond.
   'Waar is nu die slaapschool?' vraagt Ra.
   'De school is hier in de computer,' zegt Ana.
Ze wijst naar een televisiescherm op de tafel.

'Zit de school dan in een doos?'
        wil Ra weten.
'Als ik hier op het toetsenbord druk,
kan ik met mijn lerares praten,'
        zegt Ana.
'Ze geeft me televisieles. Kijk maar!'

Ra en Bo kijken vol verwachting
naar de computer.
Dan drukt Ana een toets in,
het scherm licht op.
Opeens verschijnt er
een man in beeld!
    'Oei,' fluistert Ana,
            'dat is de bewaker!'
    'Je bent te laat in de slaapschool!'
        zegt de man.
'Ik vergat op mijn horloge te kijken,'
        verontschuldigt Ana zich.
    'Heb je niet te lang buiten
    in het stof gelopen?'
    'Nee, maar ik heb wel vriendjes ontmoet.'
De man op het scherm kijkt nu beter. Hij schrikt.
    'Zie ik daar soms een vogel in je kamer?
    Hoe kan dat nou?'
Ana verdedigt haar vrienden en zegt:
    'Ra en Bo zijn reizigers,
    ze komen niet uit de Stad, maar uit het dorp!'
De man kijkt streng naar Ra en Bo.

'Daar zullen we later nog wel eens over praten,
ik moet nu... dringend... andere dingen doen...,'
zegt hij een beetje zenuwachtig.
Dan floept het televisiescherm uit.

Ra gelooft zijn ogen niet en kijkt achter het scherm.
'Waar is die bewaker nu?' vraagt hij.
'Hij leek nogal boos op je,' zegt Bo.
Ana aarzelt, ze kijkt wat onzeker
naar Ra en Bo.
'Jullie zijn vreemde bezoekers...'
'Maar je zei hem toch
dat we reizigers zijn?'
komt Bo ertussen.
'En misschien houdt hij wel van vogels?'
meent Ra.
'Dat denk ik niet!' zegt Ana.
Ze steekt haar armen omhoog en schudt haar hoofd.
'Ik weet niet meer wat mag en wat niet mag.
Al die moeilijke regels ook altijd!'
'Och, die bewaker was geen lieve man,' zegt Ra.
Ana schakelt de computer weer aan.
'Laten we eens kijken waar je ouders wonen,'
fluistert ze, alsof niemand
dat mag weten.
'Wat fijn dat je ons wilt helpen!' zegt Bo.
'Dat doen vrienden altijd!' knipoogt ze naar Bo.

Ana tikt de namen van Bo's ouders
in op de computer.
Eerst is er gezoem, maar dan blijft het scherm leeg.
Bo is er niet gerust op,
er loopt een rilling over zijn rug.
        'Ik probeer het nog eens,' zegt Ana.
Langzaam tikt ze de letters in en wacht dan even.
Maar weer verschijnt er geen antwoord.
        'Leven je ouders nog wel?' vraagt Ana ineens.
        'Nog leven?' vraagt Bo angstig.
        'Waarom zouden mijn ouders niet meer leven?'
Ana zwijgt, ze zoekt in een andere lijst met namen.
Bo kijkt van het scherm naar Ana. Er is iets mis.

Ana is lijkbleek geworden,
en ze kan niet goed meer praten.
        'O lieve Bo... de computer zegt dat je ouders...
        erg ziek waren...toen ze in de Stad kwamen...
        Zo ziek zelfs... dat ze toen... gestorven zijn...'
Bo duizelt en de tranen lopen over zijn wangen.
        'Zijn mijn ouders... dood?'
Ana staart naar het scherm en knikt sprakeloos.
Dood? Bo hoort dat akelig woord telkens weer.
Ana weet niet wat ze haar vriendje nog kan zeggen,
ze trekt Bo tegen haar schouder.

Nu weet ik waarom ik zo lang in
het dorp bij opa heb gewoond....,'
    zegt Bo heel verdrietig.

'Mijn ouders konden me
niet meer komen halen.'
Bo begint te snikken.
Zoveel moeite voor niks!
Eerst een vliegtuig bouwen...
daarna de reis van het dorp naar deze vreemde Stad...
en dan... geen ouders meer hebben...?
'Je mag de moed niet laten zakken, Bo.
Samen ben je nooit alleen, weet je nog?'
Ana geeft Bo een zoen en veegt zijn tranen weg.
Bo is nog droevig, maar hij probeert te glimlachen.
Opeens schiet hij overeind en kijkt overal rond.
'Waar is Ra eigenlijk?' wil hij weten.

'Net was hij er nog!' zegt Ana bezorgd.
Dan zien ze dat de deur van haar kamer openstaat.
Ze lopen vlug de gang op, maar Ra is nergens te zien.
'Is dit weer een grapje van mijn gekke vriend?
Nee, dat zou Ra nu niet doen!' meent Bo.
Ana gelooft ook niet dat Ra nu een spelletje speelt.
'Ra wou ook meer nieuws over je ouders weten,
dan ga je toch niet even wandelen!' zegt ze.
Waar zou Ra toch kunnen zijn?
Snel nemen Ana en Bo de lift naar beneden.
Ze zoeken in de stofzuigerkooi en in de hoedenkast,
maar er is geen spoor van Ra te bekennen.
'Of toch?' roept Bo. 'Kijk! Hier bij de ingang!'
Bo raapt een veertje op, wit en zwart gestreept.
'Ra is hier geweest!' zegt hij opgetogen.
'Misschien heeft de bewaker Ra wel opgepakt.

Zag je hoe streng hij
naar Ra keek?' zegt Bo.
'Wacht maar,'
zegt Ana flink,
'als de bewaker dat gedaan heeft!
Van mijn vriend moeten ze afblijven!'
Ana is boos en loopt naar een kamer
bij de ingang.
Maar ze is vlug terug en zegt:
'De bewaker is er niet en Ra ook niet!'
Bo is er nu zeker van dat Ra ontvoerd is.

'We moeten hulp zoeken!' vindt Bo.
'Ik kan het aan Fara vragen?' stelt Ana voor.
Bo kijkt op.
'Wie is Fara?'
'Mijn mama natuurlijk!'

Snel klapt Ana haar horloge open.
Dan drukt ze op een toets
en praat met haar moeder.
Bo hoort hoe Ana het hele verhaal uitlegt.
Het gesprek is afgelopen.
Ana wil nu geen tijd meer verliezen.
'Fara vraagt of we meteen komen!
We nemen de metro naar haar werk,' zegt ze.
Terwijl ze naar buiten lopen,
grist Ana twee hoeden mee.

Ana holt zo snel dat Bo haar nauwelijks kan volgen.
'Waar werkt je mama?' vraagt hij.
'In een lab waar ze kinderen maken,'
antwoordt Ana zonder na te denken.
Heeft Bo dat wel goed gehoord?
Een lab? Een lab waar ze kinderen maken?
'Vooruit, zet je hoed op!' roept Ana.

FARA

Te laat! Als Ana en Bo op het perron komen,
vertrekt er net een trein, pal voor hun neus!

Wat een drukte in het metrostation!
Mensen en kinderen wriemelen door elkaar.
 'Niemand heeft nog tijd in de Stad!' roept Bo.
En er komt alweer een trein aangereden.
Ana en Bo stappen in.
De trein vertrekt zo snel,
dat Bo achterover klapt in zijn stoel.
Donkere tunnelwanden flitsen voorbij.
 'Vertel eens wat meer over je mama,' zegt Bo,
 'en over dat lab waar ze werkt.'
 'Fara is de liefste mama van de wereld.
 Ik ben uit haar buik geboren,'
  zegt Ana,

'en niet in een flesje, zoals mijn vriendjes.'
Bo begrijpt helemaal niet wat Ana vertelt.
    'Worden hier kinderen geboren in een flesje?'

Ana legt het hem precies uit:
    'Een vrouw die een kindje krijgt is soms ziek,
    en haar dikke buik is onhandig om te werken.'
Dat vindt Bo geen probleem.
    'Dan kan ze misschien wat rusten?' vindt hij.
    'In de Stad durven de mensen
    niet veel te rusten, want dan verliezen
    ze misschien hun werk,'
        zegt Ana.
    'Daarom worden baby's ook in flesjes gemaakt,
    door dokters in een lab, en Fara is zo'n dokter.'
Het leek alsof Ana een lesje opzei.

Bo moet even op adem komen.
    'Maar jij komt niet uit een flesje?' vraagt hij.
    'Nee, mijn mama wou me in haar buik dragen.'
Bo denkt na.
Hier in de Stad zijn er dus kinderen
die niet uit een zachte, warme buik, komen?

Hoe kan dat nou?
        'Als je in een flesje zit,' vraagt hij aan Ana,
        'dan voel je toch alleen maar koud glas?'
Ana haalt haar schouders op.
        'Moet je aan mijn vriendjes vragen,' zegt ze,
        'die zijn in een lab gemaakt.'
        'Dat lab wil ik zien!' roept Bo opeens.
        'Geen probleem,' zegt Ana, 'we zijn er zo!'

        'Bij deze halte moeten we uitstappen,'
        zegt Ana, 'hier is het!'
Ana en Bo lopen onder een brede tunnel van glas.
Dan nemen ze een roltrap naar boven.
Links en rechts staan de wolkenkrabbers van de Stad.
        'Zie je die toren?' vraagt Ana.
Bo kijkt naar een eindeloos hoog gebouw.

'Dat is het grootste lab van de Stad,'
        vertelt Ana.
        'De mensen maken er alles:
        water, snoeppillen, kinderen, alles!'

'En dieren?' vraagt Bo.
'De mensen willen geen dieren in de Stad!
Dieren maken ons ziek!' zegt Ana.
'O ja?' roept Bo uit. 'Na het stof dus de dieren!'
Ana trekt een zuur gezicht.
'Ik weet ook niet alles,' zegt ze hulpeloos,
'kom, Fara weet er meer van.'

Een groepje kinderen maakt een uitstapje.
Met hun hoedjes op hun hoofd lopen ze de straat op.
De kinderen kijken naar de hoge torens.
'Wij moeten nog verder,' zegt Ana,
'hier, neem deze roltrap, naar links!'
Ze stijgen onder een dak van glas,
tot aan de voet van het lab.
Beneden in het gebouw werkt Fara.

Bij de ingang van het lab laten ze hun hoed achter.
'Wat een warmte,' puft Bo.
Toch moeten ze nog een lange, witte jas aan
en een muts op.
'Een gek gedoe! Weer nieuwe kleren!' lacht Bo.
Hij is heel nieuwsgierig en kijkt zijn ogen uit:
hij telt wel duizend flesjes en glazen kommetjes.
Bo kijkt naar de mensen in hun witte jassen.
Ze werken aan lange tafels, snel en zonder te praten.
Maar waar is Fara?

Ana ziet haar niet meteen,
en staart door het raam naar buiten.
   'Hé, Bo,' roept ze ineens, 'kijk daar eens!'

Eén van de kinderen heeft een grote veer opgeraapt.
Bo herkent de veer meteen: die is van Ra!
   'Volg me, Ana, vlug!' roept hij.
Ana en Bo stormen naar buiten.
De mensen in het lab lopen nu ook naar het raam.
Buiten is het een herrie: de kinderen kibbelen,
want ze willen allemaal de veer hebben.
   'Die is van mij,' zegt een jongetje,
   'want ik heb hem het eerst
   van de toren zien vallen!'
Ra moet dus ergens boven op het torengebouw zijn.

Ana en Bo lopen achteruit.
Nu kunnen ze het dak van het gebouw beter zien.
'Hé!' roept Ana, 'Ik zie een vleugel van Ra!'
Eén van de kinderen heeft een verrekijker,
waardoor Bo alles veel beter kan bekijken.
'Ra zit op de rand van het dak!' zegt hij.
'En hij zit gevangen in een kooi met tralies!'
roept Bo, nu verschrikkelijk opgewonden.
'Achter tralies?'
roept Ana geschrokken.
De kinderen kijken omhoog.
Ana tuurt nu ook
door de verrekijker.
'Geduld, Ra!' roept ze.
'We komen je redden!'
Maar het gebouw is heel erg hoog.
En Ra kan Ana en Bo niet zien of horen.

'We moeten naar boven,' zegt Bo,
'naar het dak!'
Ana en Bo lopen terug naar het lab, naar Fara.
'Is dat nou Bo?' vraagt Fara aan Ana.
Bo knikt, maar Ana wil geen tijd verliezen.
Ze overstelpt haar moeder met vragen.
'Nee, de lift gaat niet tot boven,' zegt Fara.
'Trouwens, niemand mag op het dak komen!'
'Nu weten we ook waarom!' roept Bo.
'Daar zit een vogel gevangen! Wist je dat?'
schreeuwt Ana. Ze is erg boos.

'Kom Ana, vlug! Ik heb een plan!' zegt Bo.
Hij heeft zijn jas al uitgetrokken en sleurt Ana mee.
'Wees voorzichtig!' roept Fara nog.

GEVANGEN

Ik ben in een dierentuin terechtgekomen, denkt Ra.
Hij is moe. Hij heeft uren met zijn vleugels geklapt,
maar hij weet niet of iemand het gezien heeft.
En zou iemand kunnen horen dat hij om hulp roept?
Zijn kooi staat bijna in de wolken, zo hoog!
Hoe kan ik het Ana en Bo laten weten?
Waarom zit ik hier opgesloten? Waarom?
Ra heeft er geen enkel idee van.
      'Hebben ze jou ook met een net gevangen?'
         vraagt een kip, in de kooi naast Ra.
      'Ik werd geblinddoekt en in een doos gestopt,'
         moppert Ra.
      'Maar waarom zitten we gevangen?' vraagt hij.
      'Omdat in de Stad geen vogels zijn toegestaan!'
         roept een meeuw in een hok boven Ra.
      'De meeste vogels die in het asiel zitten,
komen uit een dorp en zijn hier verdwaald,'
         gaat de kip verder.

      'Wat is een asiel?' wil Ra weten.
      'Een ziekenhuis voor onschuldige dieren!'
         krijst de meeuw weer vanuit zijn hok.
      'Moeten jullie hier genezen, gezond worden?
Hebben jullie soms vies water gedronken?'
         vraagt Ra.

'Geen enkele vogel is ziek,' antwoordt de kip.
'Maar de mensen denken
dat we hen ziek maken,
daarom nemen ze ook alle vogels gevangen!'
Ra kijkt nu wat beter rond.
Er zitten inderdaad allerlei vogels,
in grote en in kleine hokken.
En ik ben ook een vogel, denkt Ra.
Natuurlijk!
Daarom hebben de mensen mij ook gevangen!
Ze denken dat ik hen ziek zal maken!
Dommeriken!

Op een hoek van het dak ziet Ra een klein grasveld
waarop een paar schapen grazen achter een hek.
'En wat doen die schapen
hier in het asiel?'
vraagt hij aan de kip.
'Ze woonden op
dezelfde boerderij als ik,
aan de rand van de Stad,'
legt de kip uit,
'maar nu ligt er een enorme parkeerplaats.'
'Dat weet ik,' roept Ra, 'bij de slaapschool!'
Hij bekijkt de arme dieren wat beter.
'Ze lijken me wel een beetje ziek.'
De kip schuift nu dichter naar Ra en zegt:
'Ze waren bijna gestorven aan de dierenpest...'
Dat moet een geheimzinnige ziekte zijn, denkt Ra,

want de kip begint nu te fluisteren.
  'De schapen, de koeien, de varkens, de kippen:
  allemaal zaten we opgestapeld in enge stallen.
  We kregen geen plaats en geen lucht meer.
  Het was een schande!'

  'Hé,' roept opeens een grote vogel onder Ra,
  'ken ik jou niet?'
Het is de raaf met wie Ra
bijna een botsing had.
  'Wat doe jij hier, waaghals?'
       vraagt Ra.
  'Geen geluk gehad!' moppert de raaf.
  'Ik was even uit de koers en vloog naar de Stad,
  en nu zit ik hier in dit paradijs gevangen!'
Dan blaft er opeens een hond in het asiel.
  'Noem jij dit een paradijs?' gromt het dier.
  'Ik wou dat ik een baasje had om mee te spelen
  of te wandelen, in een park met gras en bomen!'
De hond duwt tegen de tralies van zijn kooi en huilt.
Onder de hond ziet Ra nu ook een poes.
Ze zit in het donker en zet een hoge rug op.
  'Ik woonde vroeger bij lieve mensen,' zegt ze.
  'Kon ik nog maar eens lekker spinnen in de zon.'
De kip schuift weer wat dichter naar Ra.
  'De hond en de kat woonden
  ook op de boerderij.
  En nu zitten we hier allemaal opgesloten!'
Opeens gaat er een deur open.

Twee mannen komen het asiel binnen,
ze lopen recht naar de kooi van Ra.
          'Deze gestreepte vogel heb ik nog nooit gezien,'
               zegt de eerste man.
          'Het is geen ekster en ook geen merel...'
Ra zwijgt. Misschien kan hij zo iets te weten komen.
          'Het lab zal tevreden zijn,'
               zegt de tweede,
          'dat ze dit diertje mogen bestuderen!'
De mannen gaan weg en lopen
naar de andere kooien.
Maar goed ook, want Ra kookt van woede.
          'Heb je dat gehoord? Dat diertje! Dat ben ik, ja!
          En wat willen ze met mij in een lab doen?'
          'Het lab is een museum voor levende vogels!'
               krijst de meeuw zo hard hij kan.
          'Daar meten ze je vleugels of ze wegen je,'
               zegt de kip.
          'Elke dag onderzoeken ze een ander dier.'
          'En laten jullie dat zomaar gebeuren?' zegt Ra.
          'Wat wou jij dan doen? Ze een klap geven?
          Zag je hoe groot en sterk die mannen zijn?'

Ra houdt zich stil en kijkt gespannen toe.
    'Kijk,' fluistert de kip,
     'ze moeten een schaap
     naar het lab brengen.'
De mannen willen het schaap over het hek tillen,
maar dat lukt niet: het schaap is te zwaar.
Dan opent de grootste het hek met zijn sleutelbos.
Ze dragen het schaap weg en verlaten het asiel.
Ra heeft alles goed gezien.
En vooral dat de sleutels op het hek bleven zitten!

    'Hoe komen we bij die sleutels?'
     moppert hij.
    'Ach, vergeet het maar,' klaagt de kip,
    'waar wilde je heen als je vrij bent?
    In de Stad hebben ze je zo weer te pakken!'
Ra piekert en piekert, maar hij weet geen oplossing.
Als Bo nu maar hier was! Die zou wel wat verzinnen!

DE REDDING

De mensen in het lab begrijpen niet wat er gebeurt.
Die jongen en dat meisje lopen hier
naar binnen en naar buiten,
alsof het lab een speeltuin is!
En nu hollen Ana en Bo opnieuw naar de uitgang?
Ze nemen de roltrap naar de glazen tunnel beneden.
      'Hoe komen we het snelst bij de parkeerplaats?'
         vraagt Bo.
      'Met de metro, net zoals we gekomen zijn,'
         antwoordt Ana.
Het kan voor Bo niet snel genoeg gaan.
      'Als het vliegtuig maar niet weg is...,'
         zucht hij onzeker.
Hij is bang voor wat er allemaal staat te gebeuren.
Als dit maar goed afloopt...

Het vliegtuig staat nog steeds op de parkeerplaats.
Oef!
Bo onderzoekt het toestel.

'Gelukkig is er niks stuk,' zegt hij.
'Wil je daarmee naar het lab vliegen?'
Ana vertrouwt het zaakje niet.
'Het vliegtuig bracht me naar de Stad!' zegt Bo.
'Was je dat soms vergeten?'
Ana draait nog even om de machine heen.
'Heb jij dat alleen in elkaar getimmerd?'
'Met de hulp van Ra!' zegt Bo.
Dan kruipt hij vlug achter het stuur.
'Vooruit, Ana, instappen!'
'Moet ik met je mee?' aarzelt Ana.
'Denk je dat ik Ra alleen kan redden?
Als ik niet op het dak kan landen,' zegt Bo,
'moet er iemand uit het toestel springen!'
Ana denkt even na.
'Moet ik dan springen?' vraagt ze bang.
'Dat zullen we nog wel zien! Vooruit!'

De avond valt en langzaam verdwijnt het licht.
Op de grote parkeerplaats staan
bijna geen auto's meer.
Ana kruipt voorzichtig in het vliegtuig.
'Als dit geen mooie startbaan is!' roept Bo,
en hij begint te trappen, zo hard hij kan.
Het toestel is nogal zwaar met Ana erbij,
maar Bo zet de vleugels in de wind.
Daar gaan ze!

'Woehaaa!' roept Ana, 'dit is ongelooflijk fijn!'
De propeller draait op volle toeren,
het vliegtuig gaat steeds sneller over het plein,
en hop, opeens komen de wielen van de grond.
        'We vliegen!' juicht Bo.
De wind suist en Ana moet haar hoed vasthouden.
Wat een geweldig gevoel! Toch is ze nog wat bang.
        'Kijk maar uit met de wolkenkrabbers!' zegt ze.
Bo kijkt naar links en naar rechts.
Nu mag er zeker niets misgaan, denkt hij,
anders is Ra verloren!

Het vliegtuig klimt steeds hoger, en onder hen
ligt de enorme parkeerplaats,
kleiner dan een handdoek.
        'Welke kant voor het lab?' vraagt Bo.
Ana wijst naar een paar gebouwen in de verte.
        'De hoogste van die drie torens!' roept ze.
        'Je kunt niet missen!'

'Dan moet ik nog meer klimmen!' roept Bo.
Hij trekt aan een hendel en het toestel stijgt.
Opeens horen ze een zwaar geronk in de lucht.
     'Kijk uit, Bo! Daar, onder ons!' zegt Ana.
     'Een helikopter! Zou hij ons gezien hebben?'
Bo trekt weer aan de hendel en ze gaan nog hoger.
De helikopter is nu ver beneden hen en verdwijnt.

Intussen vliegen ze al over het dak van het lab.
     'Ik kan Ra zien!' roept Ana blij.
     'En ik kan hem horen!' antwoordt Bo.

     'Hierheen, Bo! Hier moet je zijn!' schreeuwt Ra.
Bo cirkelt met het vliegtuig boven het asiel.
     'Zoveel dieren in hokken?' roept Ana verbaasd.
Ook Bo kijkt daarvan op.

'Je moet onze kooien openen,' schreeuwt Ra,
'wij weten waar de sleutels zijn!'
'We komen eraan!' antwoordt Bo.
Het toestel scheert rakelings over het dak.
Bo zoekt een plek om de machine neer te zetten,
maar dat kan zomaar niet.
'Met zoveel kooien kunnen we nergens landen!'
roept hij teleurgesteld.
Dat had Ana al meteen gezien.
'Ik spring wel uit het vliegtuig,' zegt ze flink,
'en mijn hoed gebruik ik als valscherm!'
Bo weet geen andere oplossing.
Dan moet het maar!
'Probeer op de schapen neer te komen,
in hun dikke vacht val je zacht!' roept Bo.
Bo stuurt heel precies
en Ana houdt haar hoed klaar.
Net als de machine boven het grasland is,
springt Ana uit het toestel.
Met beide handen houdt ze haar hoed stevig vast.

Even zweeft ze met haar valscherm naar beneden,
en dan valt ze precies op de rug van een schaap.
'Bravo,' roept Bo, 'recht op het doel!'
'Ai!' kreunt Ana, maar ze staat alweer op.
Het schaap staat er wat beduusd bij te kijken.
'Zeg eens, Ra! Waar liggen die sleutels?'
vraagt Ana.
'Op het hek! Je staat er met je neus bovenop!'
Het is nu bijna nacht en het wordt al flink donker.
Ana gaat snel te werk en opent alle kooien.
'De vogels kunnen wegvliegen,' zegt ze
'maar de schapen, de kat en de hond?'
'Ja, dat is een probleem,
maar wat doen we met jou?' vraagt Ra.
'Hoe kom jij hier weg?'
Daar had Ana niet aan gedacht.
Hoe kan zij terug in het vliegtuig komen?
Wat nu...?

TERUG NAAR HET DORP

'Ik heb een idee!' roept Bo vanuit de lucht.
'Twee sterke vogels kunnen Ana optillen,
en terug naar het vliegtuig brengen!'
Voor de vogels is dat echt geen probleem,
want de meeuw en de raaf staan al klaar
om Ana te helpen.
'En... vergeet je mij niet,' kreunt de kip,
'ik kan maar een paar meter fladderen!'
Ana haalt de kip uit haar hok en zegt:
'Ik neem je wel mee, vogel,
want zo zwaar ben je nou ook niet!'

Maar nu jammeren ook
de hond en de poes!
'Ja, wat doen we
met deze arme dieren?'
vraagt Ana.
Ze weet geen raad meer.

Ra bekijkt het zaakje even en beslist dan kordaat:
'Laat dat maar aan mij over, dat los ik wel op!'
'Vooruit, kip, straks is het helemaal donker!'
beveelt Ra.
De kip kruipt vliegensvlug op de schouders van Ana.

Ana schrikt wel even, maar Bo zweeft al over het dak
en moedigt haar aan:
        'Nu moet het gebeuren, Ana!'
Ze pakt zachtjes de poten
van de raaf en de meeuw vast.
        'Flink vasthouden!'
        zegt de meeuw en hij telt af:
        'Opgelet, raaf! Eén, twéé, drie!'
Ze wieken de lucht in
en tillen Ana en de kip omhoog.
Ana heeft haar armen gespreid.
Het lijkt wel of ze aan een zwevend klimrek hangt.
Het toestel duikt en Bo vliegt nu net onder Ana.

'Loslaten!' roept hij
zonder te aarzelen.
Ana laat de vogels los,
en glijdt netjes op haar plaats in het vliegtuig.
'Oef!' zucht ze. 'Hoe heet jij eigenlijk, vogel?'
'Zeg maar kip!' zegt de kip.

De raaf en de meeuw keren terug
naar de andere dieren.
Want Ra heeft intussen alle vogels opgetrommeld.
'Hier ligt genoeg touw,' legt hij uit,
'om vast te binden aan dieren die niet vliegen!'
'Ik wil niet gebonden worden!' blaft de hond.

'Hou je nu maar even stil,' krast Ra,
'of blijf je liever in het asiel?'
Zonder te dralen knopen de vogels de touwen vast.

'Voor ieder dik dier vier vliegers!' beslist Ra.
'Zwaar, bedoel je!' blèrt een schaap. 'Niet dik!'
Nu verliest Ra zijn geduld.
'Lieve koekoek!
Straks komen de bewakers nog!' sist hij.
Ze zijn eindelijk klaar voor het vertrek.
'Heeft iedere vogel zijn touw?' vraagt Ra.
Hij ziet dat het goed is
en dan geeft hij het startteken:
'Dames en heren vogels, retteketet en opgelet!
Is iedereen mee? Eén, twee en hopsakee!'
De vreemde dierenstoet gaat de lucht in:
het lijkt wel een heel spannend circusnummer...

Bo vliegt vooraan en daarachter komen de dieren.
'O, wat mooi!' roept Ana.
Ook Bo vindt het een enig gezicht.
In het donkerblauwe avondlicht zoekt hij zijn weg.
Achter zijn grote, houten vogel
hangt een lange sliert van zwevende dieren.
Niemand in de Stad heeft hun vlucht gemerkt,
en ze schieten flink op.
'Aansluiten en in de rij blijven!' roept Ra.
Hij zorgt ervoor dat er geen botsingen komen.
De meeuw kan zijn snavel niet houden: zo blij is hij!
'Joepie! We zijn ontsnapt!' krijst hij.
'Niet zo hard, meeuw, of ze horen ons nog!'
miauwt de poes, die vreselijk bang is.
'Waar vliegen we eigenlijk heen?'
vraagt de raaf.

De lange stoet is nu boven
de parkeerplaats aangekomen.
    'Hier gaan we naar beneden!' roept Bo.
Het vliegtuig zwenkt en daalt,
en als een lang lint volgt de rest van de dierentuin.

    'Stilte!' roept Bo wanneer iedereen goed en wel
    op de parkeerplaats staat.
De dieren kunnen maar niet geloven dat ze vrij zijn.
    'Stilte! We zijn nog steeds in de Stad!' zegt Bo.
    'Wie dat wil, mag straks met ons mee.
    Ra en ikzelf gaan immers terug naar het dorp.'
    'O ja!' roepen de dieren door elkaar.
Iedereen wil weg uit de Stad.
Dan biept er opeens een vreemd geluid.
Het is de horlogetelefoon van Ana.
Heel even praat ze met iemand en dan zegt ze:
    'Het is Fara, ze is naar de slaapschool gegaan,
    zij wil ook niet meer in de Stad blijven!'
    'Geen probleem!' zegt Bo.
    'O, dat komt mij goed uit,' zegt Ana,
    'want ik wou ook met jullie mee!'
Ra en Bo lachen, want iedereen wil weg!

    'Hoe meer mensen en dieren in het dorp...,'
      begint Bo,
    'hoe leuker het er zal zijn!'
      gaat Ra verder.
   'Eindelijk geen stof meer!' juicht Ana.
    'En nooit meer naar het lab!' krijst de meeuw.

'Is er in het dorp ook een boerderij?'
        vraagt de kip.
'Daar zorgen wij wel voor,' antwoordt Bo.
'En jullie wonen nooit meer in enge hokken!'
        voegt Ra er nog aan toe.

Iedereen is tevreden en gelukkig, vooral Ana.
Want het duurt niet lang of haar moeder komt.
Nu is de groep reizigers compleet.
        'Ik weet dat je je ouders niet gevonden hebt,'
                zegt Fara tegen Bo,
        'maar ik wil voor jou en Ana zorgen.'
        'En ik dan?' komt Ra ertussen.
        'Jij blijft voor altijd mijn vriend,' zegt Bo.
        'En ik ben je beste vriendin,' fluistert Ana,
                en ze geeft Ra een dikke zoen.
Ra begint verliefd te blozen en Bo grinnikt.

Intussen is de nacht over de Stad gevallen.
Het is tijd om naar het dorp te vertrekken.
De weg is nog lang.

INHOUD